SA PET BGV

PRESSES AVENTURE

© 2007 Disney Enterprises, Inc.

Tous droits réservés aux niveaux international et panaméricain, selon la convention sur les droits d'auteurs aux États-Unis, par Random House, Inc., New York et, simultanément au Canada, à Random House of Canada Limited, Toronto, concurremment avec Disney Enterprises, Inc.

Paru sous le titre original de : *Pooh's Halloween Pumpkin*
Ce livre est une production de Random House, Inc.

Publié par **PRESSES AVENTURE**, une division de
LES PUBLICATIONS MODUS VIVENDI INC.
55, rue Jean-Talon Ouest, 2ᵉ étage
Montréal (Québec)
Canada H2R 2W8

Dépôt légal - Bibliothèque et Archives nationales du Québec, 2007
Dépôt légal - Bibliothèque et Archives Canada, 2007

Traduit de l'anglais par : Catherine Girard-Audet

ISBN-13 : 978-2-89543-626-3   c . |

Nous reconnaissons l'aide financière du gouvernement du Canada par l'entremise du Programme d'aide au développement de l'industrie de l'édition (PADIÉ) pour nos activités d'édition.

Gouvernement du Québec — Programme de crédit d'impôt pour l'édition de livres — Gestion SODEC

Winnie l'Ourson

La citrouille d'Halloween

par Isabel Gaines
illustré par Josie Yee

PRESSES
Aventure

Par une journée de
printemps, Jean-Christophe
et Winnie aperçoivent
Coco Lapin en train
de semer des graines.

« Qu'est-ce que tu sèmes ? »
demande Winnie.

« Des graines de citrouille »,
répond Coco Lapin.

« Je veux faire pousser une
citrouille, moi aussi »,
dit Winnie.

« C'est difficile de faire
pousser une citrouille »,
dit Coco Lapin.

« J'en prendrai le plus
grand soin »,
promet Winnie.
Coco Lapin lui offre
donc une graine.

Jean-Christophe
et Winnie plantent
la graine dans un
endroit ensoleillé.

« Je vais regarder
la citrouille grandir »,
dit Winnie.

« Mais la citrouille
ne sera pas prête
avant l'automne »,
dit Jean-Christophe.
« Alors j'attendrai »,
dit Winnie.

« Je dois d'abord manger
quelque chose »,
dit Winnie.
Winnie va chez lui et
rapporte tout son miel.

Winnie observe l'endroit
où la graine a été semée.
Winnie mange, puis observe,
puis mange encore.

L'été est vite arrivé.

Porcinet s' approche.

« Winnie, la vigne que

tu es en train de faire

pousser est très jolie ! »

dit Porcinet.

« Mais je ne veux pas
de vigne, je veux
une citrouille »,
dit Winnie.

Winnie observe les feuilles et mange du miel. Winnie mange, puis observe, puis mange encore. Bientôt, une fleur apparaît sur la tige.

« Je ne veux pas de fleur,
je veux une citrouille ! »
dit Winnie à Maître Hibou.
« Tu n'es peut-être pas
en train de faire pousser
une citrouille »,
dit Maître Hibou.

« Tu as des feuilles.

Tu as une fleur.

Je pense que tu es en train de faire pousser… »

…un concombre ! »

dit Maître Hibou.

« Est-ce que les concombres sont aussi bons que le miel ? » demande Winnie.

Winnie se gratte la tête.
« Une graine de citrouille
devrait faire pousser
une citrouille », dit-il.

Winnie observe donc

la plante.

Il l'arrose.

Il mange encore du miel.

Un jour, Winnie

se réveille de sa sieste.

L'air est plus frais.

Les feuilles ont changé

de couleur.

« Il y a une boule verte
sous la tige »,
dit Bourriquet.
« Mais je veux une
citrouille ! » dit Winnie.

« Tant pis,

dit Bourriquet.

Je n'ai jamais

ce que je veux,

moi non plus. »

Les semaines passent.

La boule verte grossit,

et le ventre de

Winnie aussi !

Un jour, une partie de la boule devient orange.

La boule devient
entièrement orangée.
Les feuilles tombent
des arbres. Il y a une
grosse citrouille sous
la tige de Winnie !

Tout le monde se réunit
autour de la citrouille
de Winnie.

« La citrouille ressemble à ton ventre ! » dit Tigrou.

« Tu as grossi en même temps que la citrouille ! » dit Jean-Christophe.

Les amis décident de
préparer la citrouille
pour l'Halloween.

« Je taillerai les yeux »,
dit Maître Hibou.

« Je taillerai le nez »,
dit Coco Lapin.

« Et je taillerai la
bouche », dit Porcinet.

La citrouille d'Halloween de Winnie est la plus jolie citrouille-lanterne de la forêt des Cent Acres.